S0-ALE-616

四五快读

第三册

杨其铎 著

湖南科学技术出版社

图书在版编目（CIP）数据

四五快读　第三册 / 杨其铎著. ——修订本. ——长沙：湖南科学技术出版社，2010.10（2020.4重印）

ISBN 978-7-5357-6424-9

Ⅰ．①四… Ⅱ．①杨… Ⅲ．①识字课—学前教育—教学参考资料　Ⅳ．①G613.2

中国版本图书馆CIP数据核字（2010）第179835号

四五快读　第三册　全彩图　升级版

著　　者：杨其铎

责任编辑：柏　立

出版发行：湖南科学技术出版社

社　　址：长沙市湘雅路276号

　　　　　http://www.hnstp.com

邮购联系：本社直销科　0731-84375808

印　　刷：湖南凌宇纸品有限公司

　　　　　（印装质量问题请直接与本厂联系）

厂　　址：长沙市长沙县黄花镇黄花印刷工业园

邮　　编：410013

版　　次：2010年10月第1版

印　　次：2020年4月第30次印刷

开　　本：787mm×1092mm　1/16

印　　张：5

插　　页：8

书　　号：ISBN 978-7-5357-6424-9

定　　价：25.80元

中国学前教育研究会常务理事　王风野

阅读能力是人持续发展的重要工具性能力之一，而早期阅读是儿童成为成功阅读者的基础和终身学习者的开端。前苏联教育家苏霍姆林斯基指出："孩子的阅读开始越早，阅读时思维过程越复杂，阅读对智力发展就越有益。"我国的《幼儿教育指导纲要》也要求"利用图书、绘画和其他多种形式，引发幼儿对书籍、阅读和书写的兴趣，培养前阅读和前书写技能。"对儿童早期阅读的重要性，目前国内外教育界已形成共识。

儿童早期阅读并非始于识字，但识字是阅读的重要基础。如果在适当的年龄，用正确的方法让孩子提前识字，就能使孩子较早进入自主阅读，从而促进阅读能力和相关智力的较快发展。

《四五快读》是一套适合早期儿童识字阅读的读本。

本书作者杨其铎女士是一位作风严谨、勇于探索、成果丰硕的早期教育专家。她以成功培养自己的两个孩子（一个是北大博士，一个是清华少年大学生）为起点，进而开展对群体儿童早期教育的研究和实践。十几年来，培养了千余名早慧儿童，摸索总结出一整套独具特色的早期儿童智力能力培养的方案——"壹嘉伊方程"。《四五快读》（意为四五岁就可以识字，认识四五十个汉字就开始进入阅读）就是该方案中的识字读本。

目前，儿童早期识字的读本不少，各有千秋。本书的特色是：边学汉字，边根据已学汉字循序渐进地进入阅读符合幼儿认知水平、符合儿童生活情趣的词组、句子、短段、长段、短文，直至阅读由这些汉字编成的故事、童话等。

这样，单个枯燥的汉字不断被组合成鲜活的、生动有趣的词语、句子、故事。孩子很快就能够理解汉字所蕴含的意义，在脑海中形成与这些词语、句子、故事所表达的意思相符的生动画面，一步步品尝到识字乐趣，轻松愉快地识字，并很快获得自主阅读的能力。

《四五快读》采用的是形象、比喻、诱导、启发式的教学方法，用充满童趣的语言、生动形象的肢体动作和互动交流来教授汉字，能让儿童对识字产生好奇和兴趣。本书对每一个汉字的教授方法作了解说，方便家长、教师使用。孩子学完本套7本书，就能认识960个汉字，掌握4200个词语，能阅读600字的故事，并由此积累词汇和知识常识，产生自信心、成就感，进而习惯阅读，养成热爱阅读的好习惯，使其受益终生。

《四五快读》还将学识汉字、自主阅读的过程同步设计为开发多种智力能力的过程。每课后设置问答，既可加强对所学汉字、词语、句子、故事的理解，也启发孩子思维，提升注意力，训练记忆力，培养想象力、创造力。

《四五快读》在实验过程中十易其稿，经过十几年的教学实践，证实了它的可操作性和优越性。2004年第一版发行后，经过全国大量家长、早期教育机构的使用，证实了该书是一套符合早期儿童心理特点和教育规律的优秀识字读本。尤其是2009年第二版发行后，一直居少儿类图书销售前位，进一步证实了此书的效果。期望升级版（第三版）《四五快读》使更多的儿童获益。

❶ 全国最早进入自主阅读的一套教材

《壹嘉伊方程》系列教材中的"四五快读"识字阅读教材是经过十多年的教学实践、积累和修改,十易其稿而成的。它不同于普通的幼儿识字教材,是边学汉字边根据已学汉字进入阅读词组、句子、短段、长段、短文章直至故事、童话。"四五快读"的含意是"学习四、五十字就进入自主阅读",它是全国最早进入自主阅读的一套教材。

❷ 全国最好的识字阅读教材,孩子们爱不释手的书

自2004年出版后,受到广大家长和孩子的喜爱和肯定。因为书中的每一个字,孩子都认识,每个词、每句话、每个故事,孩子们都懂,而且学会第六册后,孩子就可以读懂普通报纸的大部分内容,从而增强自信心和成就感,并从小打下喜爱阅读的好习惯,为一生的学习奠定坚实基础。不少家长盛赞此书为全国最好的识字阅读教材,孩子们爱不释手的书。

❸ 循序渐进学习汉字,轻松快乐进入阅读和学校学习

在孩子学会了最基本的16个字:人、口、大、中、小、哭、笑等之后,就开始学习词语"大人"、"大哭"、"大笑"等。

在学会32个字后,开始学习短句,例如:"我有好爸爸、好妈妈。"、"天上有太阳、月亮、星星。"、"地上有土、石、山、水田等。因为加进了常用虚词"有",便可以组成句子,也就开始了阅读。

在学会了88字(第一册)后,学习的句子更长。在第二册,就由阅读20~30个字的短段进入60~70个字的长段。第三册,就可以读200字左右的短文。第四、五、六册就读600字左右的故事了。"四五快读"的汉字与小学课本同步,坚持半年可学完本套书前七册,可以认识960个汉字,4200个词语(含130个成语、俗语)。孩子入学后,即可轻松进入学习状态。

❹ 详细全面的教学方法

本书提供每个字的具体教法，家长可以学会形象、比喻、诱导、启发的教学方法。

每课后的提问具有多种开发智力能力的作用，并引导孩子学会思考。增设了培养幼儿专注力的训练内容。

❺ 具有系统性，适合幼儿园、培训机构选作教材

升级版（第三版）亮点：

1．应读者要求，每课阅读故事中增加了许多彩色插图。

2．为了提高孩子的阅读能力，增加一个新品种，即由《四五快读》所识汉字编写的《四五快读故事集》，该书共有50篇故事，前8个故事没加新汉字，从第9个故事开始加新汉字，读完《四五快读故事集》又可学会273个新字。

3．为提高专注力训练教学中的"听两句话，找出相同的一个汉字"一项，提供了完整的例句。

写在前面的话

　　"四五快读"第三册共介绍88个汉字，306个词语，28篇短文。

　　本书依然采用形象、比喻、诱导和启发的方法教授汉字，但更多地采用互动问答式的教学方法启发、鼓励孩子用自己的语言讲出词语的意思，家长再加以补充和解释。

　　本册书进一步加大了词语的练习量，同时继续进行拆分字的分析，以及比较形近字和同音字的不同。

　　随着孩子的成长，孩子能力的提高，本册书去掉了"词语选画、画配字卡"的方法。家长在教每一个汉字时采用启发引导的方法，配以很多孩子能够理解的词语来解释这个汉字的意思。这种方法可以使孩子在识字时，头脑中出现这个词语的形象，以加速提高孩子对词语的思维能力。

　　家长选用配合讲解汉字字意的词语，应该从孩子接触得多的、有具体形象、能够在孩子的头脑中产生影象的词语，逐渐转到没有具体形象的抽象的词语。以便提高孩子对抽象词语的理解能力，扩大词语量，并准确地记忆汉字。例如：

　　河：可引用词语——河马,大河，小河，河水，河边，河岸，黄河，河流。就是从能够在孩子的头脑中生成影象的"河马，大河，小河，河水，河边，河岸"到抽象的"黄河，河流"。这个过程，就将"河"字很形象地印记在了脑子里。又如：

　　礼：可引用词语——礼花，礼物，礼品，敬礼，送礼，还礼，礼拜天，礼貌。也是由具体的"礼花，礼物，礼品，敬礼"过度到比较抽象的"送礼，还礼，礼拜天，礼貌"。就这样认记了"礼"字。

　　本书对每个汉字只列举两三个常见词语，家长在教授时，可根据孩子的实际理解能力和生活经验的积累程度适当加以补充。

　　本书未对词语做出解释，家长应针对孩子的具体认知和理解能力，选择适当的词语，借用举例的方法、手势或肢体语言进行说明。为达到准确，请家长事先查阅字典或词典，以防止儿童"先入为主"的思维模式，曲解了汉字的意思。

　　为了巩固学习的效果，本册书仅只采用家长讲词语，孩子用汉字卡片摆词语的方法进行复习巩固。

　　此外，随着孩子能力的提高，家长问孩子问题的难度应有所加大，尤其应引申思维深度和宽度的问题，可以提高孩子的思维能力、创造力，对于孩子形成主动学习，钻研问题和积极思考的习惯，有着很好的引导作用。

　　本册书同样根据学习的具体汉字加进了提高专注力的训练内容。

目 录

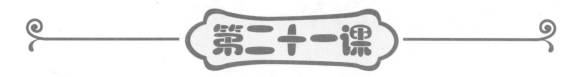

第二十一课

 宝宝学生字

虫　把　驮　鹅

河　礼　背　拿

里　后　谢　边

貌　班　幼　园

宝宝读词语

虫子　一把　把手

把门　把戏　驮着

天鹅　白鹅　小河

大河　河水　黄河

河马　礼花　背心

背上　手背　背着

拿着　拿来　拿去

宝宝读短文

1 下雨了，妈妈把我背在背上，飞快地跑回了家。妈妈对我真好！我要好好地爱我的妈妈。

2 就要下大雨了，天上的云变得很黑。白马妈妈很着急，就在家门口大叫："小白马，小白马，快快回家来，就要下大雨了！"又叫了一会儿，还是不见小白马回家。

过了一会儿，小牛跑来对白马妈妈说："小白马在河边，驮着小山羊过河去了。河里的水很大，小山羊过不了河，回不了家。小白马就驮他过河了。"

白马妈妈高兴地说："小白马真是个好孩子。"

汉字教学法

> 用形象、比喻、诱导、启发式教授汉字

虫：可引用词语——虫子，小虫，虫牙，虫眼

把：可引用词语——一把刀，把门，把手，把戏

驮：可引用词语——驮着（分解字：左"马"，右"大"。借喻：马很大，才有力量驮东西。）

鹅：可引用词语——大鹅，小鹅，鹅蛋，鹅毛（分解字：鹅字右边为"鸟"，和鸡、鸭同类。）

河：可引用词语——河马,大河, 小河，河水，河边，河岸，黄河，河流

礼：可引用词语——礼花，敬礼，送礼，礼物，礼品，还礼，礼拜天，礼貌

背：可引用词语——背着，背带（一声）

背心，背上，背后，背影，背面，手背，背书（四声）

拿：可引用词语——拿着，拿来，拿去，拿走，捉拿，拿手（分解字：下面是手。借喻：拿东西要用手。）

里：可引用词语——里边，里面，里头，这里，那里，哪里，里外，里屋，手里，心里

后：可引用词语——后面，后边，后头，后背，后来，后退，后门，后天

谢：可引用词语——谢谢，道谢

边：可引用词语——前边，后边，里边，外边，东边，西边

貌：可引用词语——礼貌，面貌

班：可引用词语——大班，中班，小班，上班，下班，换班，倒班，班车

幼：可引用词语——幼儿，幼儿园，幼小，幼苗，幼虫，幼年

园：可引用词语——公园，花园，果园，动物园，植物园，园丁

提高专注力汉字教学法

为了提高孩子的听觉集中和分辨能力，随着孩子的逐渐成长，能力的逐渐增强，家长在教授孩子认识汉字时，可以采用说两句不同的句子，其中包含有一个相同的汉字（其他字不能相同）的方法，让孩子分辨出两句中相同的是哪个字。例句只说一次，让孩子集中注意力听，养成一次听明白的习惯。

虫：❶ 会飞的小虫子。
　　❷ 青虫变成蝴蝶。

驮：❶ 大象驮重东西。
　　❷ 小鹅驮着小鸡。

河：❶ 黄河位于北方。
　　❷ 小溪汇成江河。

背：❶ 妈妈背我回家。
　　❷ 哥哥背着书包。

里：❶ 书包里有书本。
　　❷ 我从心里高兴。

谢：❶ 谢谢你帮助我。
　　❷ 她向老师道谢。

貌：❶ 懂礼貌的孩子。

把：❶ 我把饭碗拿走。
　　❷ 请把椅子放好。

鹅：❶ 我家的大白鹅。
　　❷ 爷爷摇鹅毛扇。

礼：❶ 好孩子有礼貌。
　　❷ 我收到了礼物。

拿：❶ 我拿了两块糖。
　　❷ 姐姐拿着球拍。

后：❶ 后天要去旅游。
　　❷ 他跟在我后面。

边：❶ 我边唱歌边走。
　　❷ 马路边不能玩。

班：❶ 我在小班学习。

②他的面貌真好。　　②爸爸晚上加班。

幼：①我喜欢幼儿园。　　园：①花园的花真多。

　　②地里长出幼苗。　　　②公园里很好玩。

词语教学法

①先念会21个词语。

②和孩子讨论每个词语的意思，先鼓励孩子用自己的话讲解出来（或者用造句的形式也可以，只要证明孩子已经懂得意思即可），之后家长加以补充和纠正。这种做法可以训练孩子的理解力和语言表达能力。

③家长说词语，让孩子用汉字卡片摆出这个词语。

短文教学法

先念熟短文，再回答下面的问题

爸爸、妈妈按课文内容问宝宝的问题

①下雨了，我和妈妈是怎么回家的？

②妈妈对我好不好，我要怎样对妈妈？

③要下大雨了，天上的云变成了什么颜色？

④白马妈妈为什么着急？

⑤小白马为什么没有回家？

⑥小白马帮助了别人，妈妈是怎样表扬他的？

拓展宝宝思维宽度和深度的问题

（要按照孩子的年龄和心理认知能力，酌情提问）

①想一想当爸爸、妈妈老了的时候，宝宝能够怎样帮助他们？

②太阳很明亮时，天上的云是什么颜色？

③白天，看不见太阳时，天上的云是什么颜色？

④下大雨前，天上的云是什么颜色？

⑤宝宝有没有帮助过别人？

 宝宝学生字

照　　婆　　甜

梦　　老　　盒

尺　　刀

宝宝读词语

家里　里头　手里　心里

后天　后来　后头　后门

后背　谢谢　礼貌　后边

里边　东边　西边　河边

大班　中班　小班　上班

下班　幼儿　幼儿园

幼小　幼虫　公园　花园

宝宝读短文

1 小鸭、小鸡和小鹅是好朋友。

一天，小鸭和小鹅在河里游泳，他们一边游泳，一边吃水草，玩得很开心。

小鸡不会游泳，就在河边吃虫。后来，小鸡要过河去玩，小鹅就把小鸡驮在背上，游过了河。

2 幼儿园里有很多小朋友。幼儿园里有大班、中班，还有小班。我在中班学习。

3 一天，小白兔到小山羊家里去玩。小山羊和山羊妈妈都很高兴。山羊妈妈拿来很多好吃的东西，请小白兔吃。小白兔很有礼貌地说："谢谢小山羊和山羊妈妈。"

汉字教学法 ···

 用形象、比喻、诱导、启发式教授汉字

照：可引用词语——照相，照相机，照片，照着，照顾，照看，照明

婆：可引用词语——外婆，老婆婆

甜：可引用词语——甜水，甜瓜，甜蜜，甜食

梦：可引用词语——做梦，梦乡，梦见，梦话，梦游，梦想

老：可引用词语——老虎，老大，老板，老公，老婆，老人，老人家，老大爷，老大娘，老公公，老婆婆，老爷爷，老奶奶，老师，老家

盒：可引用词语——盒子，饭盒，盒饭

尺：可引用词语——尺子，尺寸

刀：可引用词语——大刀，小刀，刀子，尖刀，菜刀，铅笔刀

提高专注力汉字教学法

家长说两句包含同一个汉字的不同句子让孩子听，并要求孩子说出这个汉字。例：

照：❶ 花猫爱照镜子。　　　婆：❶ 月亮婆婆笑了。
　　❷ 我照看小妹妹。　　　　　❷ 我要去外婆家。

甜：❶ 白兔糖不太甜。　　　梦：❶ 我做梦飞上天。
　　❷ 我做了个甜梦。　　　　　❷ 梦幻曲很好听。

老：❶ 奶奶说她老了。　　　盒：❶ 点心盒很漂亮。
　　❷ 我喜欢王老师。　　　　　❷ 笔在文具盒里。

尺：❶ 尺子属于文具。　　　刀：❶ 菜刀切菜很快。
　　❷ 三角尺三个角。　　　　　❷ 杂技演员耍大刀。

词语教学法 ···

❶先念会27个词语。

❷和孩子讨论每个词语的意思，先鼓励孩子用自己的话讲解出来（或者用造句的形式

也可以，只要证明孩子已经懂得意思即可），之后家长加以补充和纠正。这种做法可以训练孩子的语言表达能力。

❸家长说词语，让孩子用汉字卡片摆出这个词语。

 短文教学法 ••••••••••••••••••••••••••••••••

先念熟短文，再回答下面的问题

 爸爸、妈妈按课文内容问宝宝的问题

①幼儿园里有哪些班？

②我在哪个班里学习？

③小白兔和小山羊中，谁是主人，谁是客人？

④小白兔为什么要谢谢小山羊和山羊妈妈？

⑤三个好朋友都有谁（哪个）？

⑥小鸭和小鹅在河里做什么？

⑦小鸡在做什么？

⑧后来它怎样过了河？

 拓展宝宝思维宽度和深度的问题

（要按照孩子的年龄和心理认知能力，酌情提问）

①幼儿园里大班、中班和小班的小朋友中，哪个班的最大？哪个班的最小？

②幼儿园里大班、中班和小班的小朋友中，哪个班的最高？哪个班的最矮？

③是不是年纪大的人就一定高？

④如果宝宝帮助了别人，但是他没有对你表示感谢。这时宝宝会高兴吗？

⑤当别人帮助了你的时候，你应该怎样做？

⑥小鸡、小鸭和小鹅的身上有哪些地方是一样的？

⑦小鸡、小鸭和小鹅，哪个的个子最大？

⑧小鸭能不能驮小鸡过河？为什么？

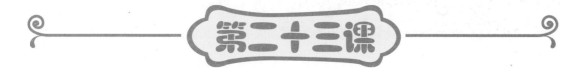

宝宝学生字

时　　正　　文

具　　笔　　画

长　　放

照着　　照看　　照明

甜的　　甜水　　做梦

梦见　　梦游　　老人

老家　　盒子　　尺子

刀子　　小刀　　老人家

老爷爷　　　老奶奶

老公公　　　老婆婆

宝宝读短文

① 我梦见我飞到了天上，和星星、月亮、白云在一起玩"捉迷藏"的游戏。

② 爸爸的盒子里有一把刀子和一把尺子。他叫我不要玩刀子。

③ 太阳高高照，宝宝起得早，来到幼儿园，见到大家问"你早"。

④ 早上，在公园里，有很多爷爷、奶奶，还有老婆婆、老公公。他们有的在游玩，有的在看书，还有的又唱又跳。很开心！我和妈妈看着，也很快乐。

⑤ 爷爷、奶奶老了，爸爸、妈妈对他们很好。有好吃的东西，有好看的书，都要他们吃，要他们看。爷爷、奶奶的心里甜甜的。我也要学我的爸爸和妈妈。

汉字教学法

用形象、比喻、诱导、启发式教授汉字

时：可引用词语——古时候，时钟，时间，时光，时期，时装

正：可引用词语——正面，正是，正好，正确，正常，正方形，正点，正巧，正事

文：可引用词语——文具，文字，中文，英文，外文，文章，文化，文人，文明，文雅，文静

具：可引用词语——玩具，文具，家具，工具，用具

笔：可引用词语——铅笔，圆珠笔，钢笔，毛笔，笔头，笔尖，笔记本，笔直

画：可引用词语——画画，图画，画家，画册，画像，画展，画报，画片（借喻："画"字像一张画，四周的框中间是一块田地。）

长：可引用词语——长大，长高，生长，成长（三声），长短，很长，长城，长假，长颈鹿，长跑，长期，长寿，长途，长方形（二声）

放：可引用词语——放大，放大镜，放学，放假，放手，放心，放炮，放火，放牛，放羊，放马，放松，解放军

提高专注力汉字教学法

家长说两句包含同一个汉字的不同句子让孩子听，并要求孩子说出这个汉字。例：

时：① 时间过得真快。
② 小时候我爱哭。

正：① 班长喊：立正。
② 妈妈正在做饭！

文：① 文老师教小班。
② 这篇文章很长。

具：① 爸爸的工具箱。
② 我有玩具汽车。

笔：① 我有三支铅笔。
② 爷爷文笔很好。

画：① 姐姐画得很好。
② 她长大当画家。

长：① 我长高了很多。
② 蝌蚪长成青蛙。

放：① 我要学解放军。
② 正在播放新闻。

词语教学法

① 先念会19个词语。

② 和孩子讨论每个词语的意思，先鼓励孩子用自己的话讲解出来（或者用造句的形式

也可以，只要证明孩子已经懂得意思即可），之后家长加以补充和纠正。这种做法可以训练孩子的语言表达能力。

③家长说词语，让孩子用汉字卡片摆出这个词语。

 短文教学法 ·····························

先念熟短文，再回答下面的问题

 爸爸、妈妈按课文内容问宝宝的问题

① 我梦见我到了哪里？和谁（哪个）在一起玩捉迷藏的游戏？
② 爸爸盒子里有什么？为什么不要玩刀子？
③ 我们去幼儿园，见到大家应该说什么？
④ 我和妈在公园里看见了哪些人？他们都在做什么？
⑤ 爷爷、奶奶老了，爸爸、妈妈是怎样对待他们的？

拓展宝宝思维宽度和深度的问题

（要按照孩子的年龄和心理认知能力，酌情提问）

① 盒子有什么样子的？它们可以做什么用？
② 为什么爷爷、奶奶早上有时间在公园里玩，而爸爸、妈妈没有时间玩？
③ 当人老了的时候，还有力气吗？还能做很费力的工作吗？
④ 当妈妈、爸爸老了的时候，宝宝会怎样对待他们？

 宝宝读字 宝宝数字 ·····························

真	具	还	边	鸡	谢	鸭	鹅	边	还
具	真	具	鸡	谢	鸭	鹅	边	还	鸡
鸡	具	真	谢	鸭	鹅	边	还	鸭	鹅

边	鸭	谢	真	鹅	鸭	还	边	真	鸭
鸡	谢	还	鹅	真	还	谢	鸡	鸭	鹅
谢	真	鹅	边	还	真	具	谢	鸡	具
鸭	鹅	边	还	边	具	真	具	谢	鸡
鹅	具	还	边	鸡	鸭	具	真	鸡	谢

 提高专注力汉字教学法

　　随着孩子的逐渐长大，从本课开始，专注力的训练难度还会增大。仍然要进行视觉集中和听觉集中训练的内容。

　　❶ 视觉集中训练：

　　1）先引导孩子一行一行读上表中已经学过的形近字或难学字（多为连词、介词等虚词），以便进一步巩固对汉字的记忆。本课包含"鸡，鸭，鹅，真，具，谢，还，边"。

　　2）再引导孩子一列一列按顺序读上表中已经学过的形近字或难学字。

　　3）指导孩子数表中每个汉字的数量，可一行一行地数，也可一列一列地数（最好两种方法都用），例如："数数表中有多少个'真'字呀"，特别注意数字形相近的汉字。

　　4）进行训练时，应视孩子的年龄和能力进行，如：先数三行中有多少个"真"字。如果孩子坚持性已有所提高，可以增加行数。

　　5）从本课开始，课文中的句子和课文已经比较长，家长可以适当选择某段内容让孩子全神贯注地倒读。因为倒读的课文没有逻辑性，需要注意力高度集中，可以训练孩子的注意能力。

　　6）家长适当指定某个句子或某段课文，让孩子数出某个字的个数。

　　❷ 听觉集中训练：

　　1）家长读几行表中的汉字，让孩子听数出有几个什么字，如：有几个"真"字。如果坚持性已有所提高，可以适当增加听读的行数。

　　2）家长选读课文中的某段内容，让孩子听数出有几个什么字。

　　❸ 一定要多进行表扬和鼓励，以便提起孩子的积极心理。

 宝宝学生字

用	总	尾
巴	玉	尖
竹	苗	

宝宝学词语

小时　正在　正是　正好

中文　文字　文人　文明

文学　文具　文具盒　玩具

家具　画画　画家　画笔

笔头　长大　长高　生长

成长　放着　放开　放大

放火　放心　放学　放牛

放羊　放马　放手

宝宝读短文

1 我们把笔、尺子、刀子都叫做"文具"，放文具的盒子，就叫做"文具盒"。

2 方方的文具盒里放着很多文具，有尺子、笔，还有小刀。他用画笔画了很多好看的画。

3 天上有太阳、月亮、星星。太阳公公一出来，天就亮了。他照着爸爸、妈妈去上班，照着我去幼儿园。太阳公公一回家，天就黑了。月亮婆婆出来时，我正做着一个甜甜的梦。

汉字教学法

用形象、比喻、诱导、启发式教授汉字

用：可引用词语——用功，用心，用力，用劲，不用，用品，用处，用做，用来

总：可引用词语——总是，总共，总统，总司令，总经理，总理

尾：可引用词语——尾巴，尾追

巴：可引用词语——哈巴狗，尾巴，下巴，巴掌，巴不得

玉：可引用词语——玉皇大帝，玉米，玉兔，宝玉，玉石

尖：可引用词语——笔尖，尖刀，刀尖，尖顶，尖子（分解字：上"小"，下"大"。借喻：上小下大的东西一般都呈尖形，如：针。）

竹：可引用词语——竹子，竹叶，竹竿，竹马，竹筒（借喻：两根竹子上长出了竹叶。）

苗：可引用词语——苗儿，小苗，青苗，绿苗，苗条（分解字：下面为"田"。借喻：田地上长出小草样的苗。）

提高专注力汉字教学法

家长说两句包含同一个汉字的不同句子让孩子听，并要求孩子说出这个汉字。例：

用：❶ 我用筷子吃饭。　　　　**总**：❶ 爸爸要写总结。

　　❷ 水有很多用处。　　　　　❷ 鹦鹉总在唱歌。

尾：❶ 兔子的尾巴短。　　　　**巴**：❶ 巴山红叶好看。

　　❷ 做事有头有尾。　　　　　❷ 松鼠尾巴很大。

玉：❶ 奶奶有一块玉。　　　　**尖**：❶ 红缨枪头很尖。

　　❷ 我最爱吃玉米。　　　　　❷ 听到一声尖叫。

竹：❶ 熊猫爱吃竹子。　　　　**苗**：❶ 中国有苗族人。

　　❷ 我家有张竹床。　　　　　❷ 地里长出小苗。

词语教学法

❶先念会31个词语。

② 和孩子讨论每个词语的意思，先鼓励孩子用自己的话讲解出来（或者用造句的形式也可以，只要证明孩子已经懂得意思即可），之后家长加以补充和纠正。这种做法可以训练孩子的语言表达能力。

③ 家长说词语，让孩子用汉字卡片摆出这个词语。

短文教学法 ••••••••••••••••••••••••••••••••••••••

先念熟短文，再回答下面的问题

爸爸、妈妈按课文内容问宝宝的问题

① 笔、刀子、尺子都叫做什么？放笔、刀子、尺子的盒子叫做什么？

② 方方的文具盒里放了哪些文具？

③ 天上有什么？谁（哪个）出来，天就亮了？

④ 天亮以后，我和爸爸、妈妈要去做什么？

⑤ 月亮婆婆出来时，我正在做什么？

拓展宝宝思维宽度和深度的问题

（要按照孩子的年龄和心理认知能力，酌情提问）

① 如果太阳晚上出来会怎么样？

② 如果月亮白天出来会怎么样？

③ 如果太阳和月亮同时出来会怎么样？

④ 太阳和月亮有没有可能一起出现呢？

第二十五课

宝宝学生字

听　　话　　猴

猩　　给　　进

告　　电

宝宝读词语

有用　不用　用来　用心

用做　总是　尾巴　巴不得

哈巴狗　玉米　玉石　玉兔

宝玉　尖的　尖刀　刀尖

笔尖　尖子　竹子　竹马

竹叶　小苗　竹苗　苗儿

青苗　绿苗　苗子

宝宝读短文

1 幼儿园的小朋友画了很多好看的画。有快乐的小兔子、小羊和小牛，有正在看书的小朋友，有长着尾巴的玉米，还有尖尖的竹苗。真好看！

2 苗苗的大盒子里放着好多玩具。有小山羊、小黄牛，有小花猫、小白狗，还有会飞的小鸟、会吃米的小鸡、会游水的小鸭子。你爱玩吗？

③ 小兔子白白学画画，总是画不好，白白急得哭起来。兔妈妈对他说："不要着急，不要哭。只要用心画，很快就会画好的。"白白不哭了，用心地画起来，真的画好了一只小花猫。白白笑了，兔妈妈也高兴地笑了。

汉字教学法

用形象、比喻、诱导、启发式教授汉字

听：可引用词语——听话，听讲，听见，听清，听说，听写，听众

话：可引用词语——听话，说话，讲话，谎话，电话

猴：可引用词语——猴子

猩：可引用词语——猩猩

给：可引用词语——给你，不给

进：可引用词语——进来，进去，进出，进门，进口，进步，进行，前进

告：可引用词语——告诉，告状，告假，告别，广告（分解字：下面为"口"。借喻：告诉别人事情时，用口。）

电：可引用词语——电灯，电话，电视机，电冰箱，电脑，电线，电池，电车，电影，电台，电视台（借喻："电"字中间方方的像电视机，上下有电线。）

提高专注力汉字教学法

家长说两句包含同一个汉字的不同句子让孩子听，并要求孩子说出这个汉字。例：

听：① 我听小鸟唱歌。
② 乖孩子都听话。

话：① 姐姐是话务员。
② 小花猫不听话。

猴：① 小猴子好调皮。
② 动物园有猴山。

猩：① 动物园有猩猩。
② 猩猩手臂很长。

给：① 我给奶奶捶背。
② 把笔交给老师。

进：① 我有很大进步。
② 老鼠跑进屋里。

告：① 你告诉我好吗？
② 好人告发坏蛋。

电：① 哥哥爱玩电游。
② 电视机是新的。

词语教学法

❶ 先念会27个词语。

②和孩子讨论每个词语的意思，先鼓励孩子用自己的话讲解出来（或者用造句的形式也可以，只要证明孩子已经懂得意思即可），之后家长加以补充和纠正。这种做法可以训练孩子的语言表达能力。

③家长说词语，让孩子用汉字卡片摆出这个词语。

 短文教学法 •••••••••••••••••••••••••••••••••••

先念熟短文，再回答下面的问题

 爸爸、妈妈按课文内容问宝宝的问题

① 幼儿园的小朋友画了哪些动物？

② 画里面的小朋友在干什么？

③ 画的玉米、竹苗都是什么样的？

④ 苗苗的大盒子里放了哪些玩具？

⑤ 你喜欢哪些玩具？

⑥ 白白为什么哭？

⑦ 妈妈是怎么劝他的？

⑧ 白白听了妈妈的劝告，画画了吗？

⑨ 白白认真地画好了一只什么？

 拓展宝宝思维宽度和深度的问题

（要按照孩子的年龄和心理认知能力，酌情提问）

① 宝宝画画的时候，是心里安静时画得好，还是着急时画得好？

② 妈妈和爸爸做事时，心里是着急的还是安静的？

③ 宝宝想学会做一件事的时候，心里是着急的好，还是安静的好？

第二十六课

宝宝学生字

诉　　念　　饭

乖　　想　　面

住　　前

 宝宝读词语

听见　　听说　　听话

好听　　说话　　猴子

猩猩　　给你　　给我

给他　　不给　　进来

进去　　进出　　进门

进口　　电话

宝宝读短文

1 小猴子给小猩猩打电话，请小猩猩到他家去玩，还说有很多好朋友也都来玩。小猩猩很高兴，不一会儿就来到了小猴子

家。小猩猩一进门，就看到了小山羊、小白兔、小黄狗和小花猫。大家在一起开心地玩"过家家"的游戏。

② 春天，我和爸爸、妈妈一起到公园去玩。公园里有很多高高的大树，在青青的草地上还有很多好看的花。有红花，有黄花，有蓝花，还有白花。小鸟在树上唱着很好听的歌。小朋友们在游乐园里快乐地玩。还有不少爷爷、奶奶也在公园里说话、看书。

我爱公园里的花草、树木，爱和我一起做游戏的小朋友，也爱公园里的爷爷和奶奶。

汉字教学法 ....

用形象、比喻、诱导、启发式教授汉字

诉：可引用词语——告诉，诉说，诉苦

念：可引用词语——念书，想念，念头

饭：可引用词语——吃饭，早饭，中饭，晚饭，饭碗，米饭，饭盒，饭店，饭菜，饭桶

乖：可引用词语——乖巧，乖乖，乖孩子，乖宝贝

想：可引用词语——想起，想念，想法，想不到，想得到（分解字：下面为"心"。借喻：我们用心来想事。）

面：可引用词语——正面，反面，对面，上面，下面，前面，后面，面包，面粉，面条，面汤，面孔，面具

住：可引用词语——站住，停住，住口，住手，住房，住址，住家

前：可引用词语——前面，前头，前边，前方，前后，面前，眼前，前天，前进

提高专注力汉字教学法

家长说两句包含同一个汉字的不同句子让孩子听，并要求孩子说出这个汉字。例：

诉：❶ 妈妈总是诉苦。
　　　❷ 告诉你一件事。

念：❶ 小明念书很好。
　　　❷ 外婆很想念我。

饭：❶ 今天没吃早饭。
　　　❷ 米饭里有沙子。

乖：❶ 我是个乖孩子。
　　　❷ 乖乖的不要哭。

想：❶ 他想当解放军。
　　　❷ 我有一个理想。

面：❶ 中午饭吃面条。
　　　❷ 爸爸很爱面子。

住：❶ 我住在爷爷家。
　　　❷ 站住，别再走了。

前：❶ 前天是星期二。
　　　❷ 很久很久以前。

词语教学法 ....

❶ 先念会17个词语。

②和孩子讨论每个词语的意思，先鼓励孩子用自己的话讲解出来（或者用造句的形式也可以，只要证明孩子已经懂得意思即可），之后家长加以补充和纠正。这种做法可以训练孩子的语言表达能力。

③家长说词语，让孩子用汉字卡片摆出这个词语。

  ## 短文教学法 •••••••••••••••••••••••••••••••

先念熟短文，再回答下面的问题

爸爸、妈妈按课文内容问宝宝的问题

① 小猴子给小猩猩打电话，说了什么话？

② 小猩猩在小猴子家里看见了谁（哪个）？

③ 哪个季节，我和爸爸、妈妈去公园玩？青青的草地上有什么颜色的花？

④ 公园里有哪些人，他们都在做什么？

拓展宝宝思维宽度和深度的问题

（要按照孩子的年龄和心理认知能力，酌情提问）：

① 宝宝喜欢有很多好朋友吗？

② 好朋友在一起时，和你一起做什么事情？

③ 想一想，夏天的公园是什么样子？

④ 想一想，秋天的公园是什么样子？

⑤ 想一想，冬天的公园是什么样子？

第二十七课

宝宝学生字

从　　同　　没

送　　果　　工

厂　　产

告诉　念书　念头

想念　吃饭　早饭

中饭　米饭　饭盒

乖乖　乖孩子　乖宝贝

好乖　想你　想不到

想得到　上面　下面

正面　对面　前面

后面　面具　住地

打住　住家　住口

住手　前后　前边

后边　面前　前天

前方　前头　前日

宝宝读短文

1 我给爷爷和奶奶打电话，告诉他们我学会了好多生字，会念好多书了。又告诉他们，我吃饭吃得又多又快，妈妈说我会长得很高很高。爷爷和奶奶听了后，都说我是个爱学习又听话的乖宝宝。

2　小山羊爱叫"妈妈"。想妈妈时，叫"妈妈"；想吃饭时，叫"妈妈"；生气想哭时，也叫"妈妈"。小牛爱叫"门儿，门儿"，不爱叫"妈妈"。我说小牛好，他长大了，不是天天都叫"妈妈"了。

 汉字教学法 ··

 用形象、比喻、诱导、启发式教授汉字

从：可引用词语——从前，从小，从头，跟从，服从，从来，从此（分解字：左"人"，右"人"。借喻：一个人跟着另一个人，跟从。）

同：可引用词语——一同，同伴，同学，同班，同时，同事，同志，同行，同样，相同，共同，同类，同情，同意，同上

没：可引用词语——没有，没用，没来，没去，没关系

送：可引用词语——送给，送去，送礼，送信，送东西，送行，欢送，送别

果：可引用词语——苹果，水果，果园，果树，果皮，果子，果汁，鲜果，干果，果然，如果，结果，果真

工：可引用词语——工厂，工人，工具，工地，工程，工程师，工作，工钱，工作服，工艺品，工夫

厂：可引用词语——工厂，厂子，厂房，厂长，出厂

产：可引用词语——产品，生产，出产，产地，物产，产生

 提高专注力汉字教学法

家长说两句包含同一个汉字的不同句子让孩子听，并要求孩子说出这个汉字。例：

从：❶ 他从哈尔滨来。

　　❷ 是从前的事情。

没：❶ 小明没有迟到。

　　❷ 我的东西没了。

果：❶ 黄瓜不是水果。

　　❷ 我最爱吃果冻。

厂：❶ 对面有个工厂。

　　❷ 伯伯是副厂长。

同：❶ 我们一同走吧。

　　❷ 祝愿世界大同。

送：❶ 爸爸送我上学。

　　❷ 我们欢送小明。

工：❶ 爷爷是工程师。

　　❷ 感谢环卫工人。

产：❶ 工厂生产电脑。

　　❷ 橘子产量很高。

 **词语教学法** ••••••••••••••••••••••••••••••••••••

① 先念会36个词语。

② 和孩子讨论每个词语的意思，先鼓励孩子用自己的话讲解出来（或者用造句的形式也可以，只要证明孩子已经懂得意思即可），之后家长加以补充和纠正。这种做法可以训练孩子的语言表达能力。

③ 家长说词语，让孩子用汉字卡片摆出这个词语。

 **短文教学法** ••••••••••••••••••••••••••••••••••••

先念熟短文，再回答下面的问题

 爸爸、妈妈按课文内容问宝宝的问题

① 我给爷爷、奶奶打电话，告诉了他们一些什么事情？

② 爷爷和奶奶夸奖我是什么样的宝宝？

③ 小山羊爱叫什么？他什么时候爱叫？

④ 小牛爱叫什么？小牛为什么不天天叫"妈妈"？

 拓展宝宝思维宽度和深度的问题

（要按照孩子的年龄和心理认知能力，酌情提问）

① 宝宝长大了，是不是很多事情就可以自己学会去做了？

② 宝宝学会了做哪些事情？

 宝宝读字 宝宝数字 ••••••••••••••••••••••

| 想 | 念 | 想 | 电 | 总 | 苗 | 田 | 听 | 诉 | 听 |

苗	想	田	想	田	总	听	电	听	总
想	念	想	田	总	苗	电	听	诉	听
电	想	田	想	苗	总	听	苗	听	电
诉	苗	诉	电	总	田	苗	念	想	念
总	诉	听	诉	田	总	念	电	念	苗
诉	听	诉	田	总	苗	田	念	电	念
苗	诉	电	诉	电	总	念	田	念	想

 提高专注力汉字教学法

① 视觉集中训练：训练方法同第二十三课。本课包含"田，电，苗，听，诉，想，念，总"。

② 听觉集中训练：训练方法同第二十三课。

第二十八课

 宝宝学生字

动　　关　　找

按　　年　　节

桃　　荷

宝宝读词语

从来　从前　从头

从小　一同　同学

同班　同上　同时

没有　没来　没了

没用　没去　送给

送去　送来　送东西

果园　　果树　　果子

水果　　红果　　工厂

工人　　工地　　工具

厂子　　厂长　　出厂

生产　　产生　　出产

产地

宝宝读短文

1 我的爸爸、妈妈都在工厂上班。工厂很大，有很多工人。他们生产了很多对人们有用的东西。

2 小山羊、小白兔、小黄牛和小花狗是好朋友。小山羊住在山下

边，小白兔住在山上边，小黄牛住在山的前面，小花狗住在山的后面。他们天天早上都从家里出来，到山下面一同玩游戏，有时还一同

念书，一同唱歌，到了吃饭时，就都回家了。

有一天，小白兔没有来，小花狗就去他家找他。白兔妈妈告诉小花狗说，小白兔到爷爷家，给爷爷、奶奶送水果去了。

汉字教学法

用形象、比喻、诱导、启发式教授汉字

动：可引用词语——动画片，动物园，动物，运动员，运动场，运动，动手，动身，摇动，晃动，推动，动心，动火，动气，动听，动用，出动，开动，动工

关：可引用词语——关门，关紧，关闭，关心，关照，关系

找：可引用词语——找人，寻找，找到，找钱

按：可引用词语——按时，按摩

年：可引用词语——年龄，年纪，年级，过年，年年，年历，年年月月，青年，去年，今年，明年

节：可引用词语——过节，节日，春节，国庆节，儿童节，母亲节，父亲节，节目，节约

桃：可引用词语——桃树，桃花，桃子，桃红

荷：可引用词语——荷花，荷包，荷包蛋，荷兰豆

提高专注力汉字教学法

家长说两句包含同一个汉字的不同句子让孩子听，并要求孩子说出这个汉字。例：

动：❶ 她动不动就哭。
❷ 这个动作对了。

找：❶ 他找不到铅笔。
❷ 请查找新邮件。

年：❶ 我明年五岁了。
❷ 祝你新年快乐。

桃：❶ 桃树春天开花。
❷ 红红的甜桃子。

关：❶ 请你把门关好。
❷ 山海关在河北。

按：❶ 进门前请按铃。
❷ 按照规矩办事。

节：❶ 春节能放花炮。
❷ 请您节约用水。

荷：❶ 我有一个荷包。
❷ 荷叶粥真好吃。

词语教学法

❶ 先念会34个词语。

②和孩子讨论每个词语的意思，先鼓励孩子用自己的话讲解出来（或者用造句的形式也可以，只要证明孩子已经懂得意思即可），之后家长加以补充和纠正。这种做法可以训练孩子的语言表达能力。

③家长说词语，让孩子用汉字卡片摆出这个词语。

 短文教学法 ••••••••••••••••••••••••••••••••••••••

先念熟短文，再回答下面的问题

 爸爸、妈妈按课文内容问宝宝的问题

① 爸爸、妈妈在什么样的工厂里上班？

② 他们的工厂生产什么？

③ 小花狗的好朋友都是谁（哪个）？他们住在哪里？

④ 小花狗每天都和他的好朋友一同做什么？

⑤ 有一天，小白兔为什么没有来？

 拓展宝宝思维宽度和深度的问题

（要按照孩子的年龄和心理认知能力，酌情提问）

① 想一想，宝宝身边的什么东西是工人叔叔造的？

② 小山羊、小白兔、小黄牛和小花狗，哪一个跑得快？

③ 为什么要让小花狗去找小白兔？

④ 宝宝有没有给爷爷、奶奶送过东西？

宝宝学生字

菊　　梅　　冷

它　　怕　　躲

勇　　敢

宝宝读词语

动工　动火　动气

动手　动听　动心

动用　出动　开动

开关　关门　找人

找东西　找不到　找到

一年　四年　青年

年月　明年　去年

过年　年年　节日

季节　春节　过节

桃树　桃花　桃子

桃红　荷花　荷叶

关心　关照　按时

时节　节目

宝宝读短文

1 春节到了。爸爸、妈妈都不去上班，我也不去幼儿园了。天天都能和小朋友们玩游戏，还能和爸爸、妈妈一起去找他们的朋友。还有很多很多好东西吃。真

开心！

　　我天天都想过春节！

② 小猴子的工厂开工了。工厂生产电动玩具。人们只要一按开关，玩具就会动起来。小鸟会飞，小狗会跑，小鸡会吃米，小

鸭会在水中游泳。

你想要会动的玩具吗？快快到小猴子的工厂去找小猴子。

汉字教学法

用形象、比喻、诱导、启发式教授汉字

菊：可引用词语——菊花，秋菊

梅：可引用词语——梅花，梅子，梅花鹿

冷：可引用词语——冷水，冷的，冷天，很冷，寒冷，冰冷，冷风，冷饮，冷藏，冷冻，冷气，冷清，冷笑，冷汗

它：可引用词语——它的，它们

怕：可引用词语——可怕，害怕，不怕，怕人，怕生，怕羞，怕冷，怕热，怕事

躲：可引用词语——躲起，躲藏，躲雨，躲避

勇：可引用词语——勇敢，勇猛，勇士，勇气

敢：可引用词语——勇敢，敢想，敢说，敢问，敢干

提高专注力汉字教学法

家长说两句包含同一个汉字的不同句子让孩子听，并要求孩子说出这个汉字。例：

菊：❶ 秋天看菊花展。　　　　**梅**：❶ 梅花冬天开放。

　　　❷ 小菊是我同学。　　　　　　❷ 我很喜欢梅姨。

冷：❶ 冷冰冰的眼光。　　　　**它**：❶ 它是一只小鹅。

　　　❷ 今天天气很冷。　　　　　　❷ 你不要打它们。

怕：❶ 小朋友不怕黑。　　　　**躲**：❶ 小明躲起来了。

❷ 妹妹很怕见人。　　　❷ 他躲到衣柜里。

勇：❶ 我是勇敢的人。　敢：❶ 她总不敢举手。

　　❷ 勇于承认错误。　　　❷ 小明好勇敢的。

❶先念会38个词语。

❷和孩子讨论每个词语的意思，先鼓励孩子用自己的话讲解出来（或者用造句的形式也可以，只要证明孩子已经懂得意思即可），之后家长加以补充和纠正。这种做法可以训练孩子的语言表达能力。

❸家长说词语，让孩子用汉字卡片摆出这个词语。

先念熟短文，再回答下面的问题

 爸爸、妈妈按课文内容问宝宝的问题

❶ 在春节里，爸爸、妈妈用不用去上班？

❷ 为什么我想天天都过春节？

❸ 小猴子的工厂生产什么？

❹ 什么玩具一按开关就会动？

 拓展宝宝思维宽度和深度的问题

（要按照孩子的年龄和心理认知能力，酌情提问）

❶ 春节期间，有下雪的可能吗？

❷ 宝宝知道春节是在哪一个季节里吗？

❸ 宝宝知道小朋友的节日是哪一天？妈妈的节日是哪一天？

❹ 宝宝愿意自己动手做一些玩具吗？

第三十课

宝宝学生字

堆　仗　柳

农　民　伯

种　最

菊花　秋菊　梅花　梅子

冷天　很冷　冷的　冷水

冷风　冷气　冷笑　天冷

它的　它们　不怕　怕人

怕生　怕冷　躲藏　躲起

躲雨　勇敢　勇气　敢想

敢说　敢问

宝宝读短文

1 一年有四季：春季、夏季、秋季、冬季。一年四季都会有花开，不同的花在不同的季节里开。春天桃花开，夏天荷花开，秋天菊花开，冬天梅花开。

2 冬天到了，下大雪了，天气好冷好冷。小猩猩、小猴子、小山羊、小白兔、小马、小牛、小狗、小猫、小鸡、小鸭，还有小鹅，都躲在家里。

"我也不出去，天气太冷了。"小朋友们也都躲在家里。

只有梅花不怕冷，它在树上笑。从天上飞下来的雪花也对着梅花笑，还对它说："你真勇敢！"

 汉字教学法

💡 用形象、比喻、诱导、启发式教授汉字

堆：可引用词语——堆雪人，土堆，堆积

仗：可引用词语——打雪仗，打仗

柳：可引用词语——柳树，柳叶

农：可引用词语——农田，农民，农具，农村，农场

民：可引用词语——人民，农民，民工，民警，民歌，民族

伯：可引用词语——伯伯

种：可引用词语——种地，种花，种瓜，种田（四声），种子，种类（三声）

最：可引用词语——最大，最小，最多，最少，最好，最坏，最甜，最香，最快，最后

 提高专注力汉字教学法

堆：① 大家在堆雪人。

② 车上堆满苹果。

柳：① 河边很多柳树。

② 春天满天柳絮。

民：① 农民伯伯种地。

② 中华民族伟大。

种：① 春天栽种树苗。

② 爷爷奶奶种花。

仗：① 打雪仗真好玩。

② 小狗仗势欺人。

农：① 我没去过农村。

② 农贸市场很远。

伯：① 我有两个伯伯。

② 伯母很喜欢他。

最：① 最大的给奶奶。

② 我在班里最好。

 参见第二十一课"词语教学法"。

先念熟短文，再回答下面的问题

 爸爸、妈妈按课文内容问宝宝的问题

① 一年有哪四季？

② 不同的季节开什么花？

③ 冬天小动物和小朋友为什么都躲在家里？

④ 冬天小朋友们和哪些小动物都躲在家里？

⑤ 只有谁（哪个）最勇敢、最不怕冷？

拓展宝宝思维宽度和深度的问题

（要按照孩子的年龄和心理认知能力，酌情提问）

① 除了桃花、荷花、菊花、梅花之外，宝宝还知道有哪些花？

② 宝宝是个怕冷的孩子吗？

③ 下雪时，宝宝和小朋友在外面玩耍，还会觉得冷吗？为什么？

 宝宝读字 宝宝数字

我	敢	进	我	找	没	我	最	最	送
敢	勇	敢	进	勇	找	没	最	送	我
我	敢	进	勇	敢	勇	最	送	进	最
送	最	我	进	勇	没	送	我	找	没
没	送	最	找	进	勇	没	找	我	找
我	敢	送	最	勇	敢	勇	没	找	我
敢	勇	敢	送	进	勇	进	找	最	没
没	敢	找	进	送	没	找	进	送	最

 提高专注力汉字教学法

① 视觉集中训练：训练方法同于第二十三课。本课包含"我，找，送，进，没，最，勇，敢"。

② 听觉集中训练：训练方法同于第二十三课。

复习五宝宝读词语

一堆　土堆　堆雪人

柳树　柳叶　农村

农民　农田　人民

民歌　民工　伯伯

种地　种花　种树

种草　　种田　　种子

最大　　最小　　最多

最少　　最高　　最好

最快　　最后　　打仗

打雪仗　　对不起

谢谢你

复习五宝宝读短文

1 一年四季开的花里面，桃花是大姐，荷花是二姐，菊花是三姐，一年里最后开的是梅花妹妹。桃花姐姐对荷花姐姐和菊花

姐姐说："最小的梅花妹妹在最冷的冬天里开，它最不怕冷。我们都要向梅花妹妹学习。"

② 下雪了，明明怕冷，躲在家里。开门时，看见树上开了很多梅花，很好看。

明明去问妈妈："梅花不怕冷吗？"妈妈说："是的，只有梅花在最冷的冬天里开，它最勇敢。你也是勇敢的孩子，去找找你的小朋友一起出去玩雪，看谁不怕冷。你说，好吗？"

明明找到了东东、贝贝和羊羊，大家在一起堆雪人、打雪仗。玩了一会儿，真的就不冷了。后来，明明对大家说："从明天起，我们再也不要怕冷。我们来学梅花，好不好？"大家都说："好！好！我们学勇敢的梅花，再也不怕冷了。"

 复习五短文教学法 ······················

先念熟短文，再回答下面的问题

 爸爸、妈妈按课文内容问宝宝的问题

① 在四季开的花里面，谁是大姐？谁是二姐？谁是三姐？谁最小？

② 桃花姐姐为什么要大家向梅花妹妹学习？

③ 下雪天，妈妈要明明出去做什么？

④ 明明和小朋友在一起玩什么？

⑤ 明明和小朋友在一起玩了一会儿之后，还冷吗？

拓展宝宝思维宽度和深度的问题

（要按照孩子的年龄和心理认知能力，酌情提问）

在冬天，天气很冷。要想使自己不冷，可以有几种方法？